Generación global

El arco de Ulises

Títulos publicados:

Ulrich Beck
y Elisabeth Beck-
Gernsheim
Generación global

El arco de Ulises

PAIDÓS
Barcelona • Buenos Aires • México

Introducción

Chernóbil y el 11-S, la crisis ecológica y los atentados terroristas, Amnistía Internacional y Coca-Cola: tales referencias vienen a indicar lo que hoy en día forma parte natural del ámbito de experiencia y acción de la generación emergente. Este ámbito ya no puede comprenderse como unidad limitada en términos nacionales, sino que está determinado por dinámicas de carácter global. Abarca imágenes y acontecimientos que sacuden el mundo, así como campañas, valores, redes, anhelos, marcas y símbolos globales que se expanden por las vías más diversas: la producción industrial y los mercados, los medios de comunicación y la publicidad, la migración y el turismo.

Sin embargo, en las ciencias sociales sigue predominando el «nacionalismo metodológico», una perspectiva limitada al ámbito del Estado nacional.[1] En un mundo cada vez más marcado por tendencias globalizadoras ese enfoque se vuelve indefectiblemente anacrónico, sobre todo cuando se trata de comprender a la generación joven y sus situaciones existenciales, sus orientaciones y sus formas de actuación. Es precisamente en este campo —y he aquí nuestra tesis central— donde hace falta una perspectiva cosmopolita enfocada en la simulta-

neidad e interrelación de condiciona-
mientos, influjos y desarrollos nacionales e internacionales, locales y globales.

Este cambio paradigmático o paso de
la conceptualidad nacional a un marco
conceptual cosmopolita (aún pendien-
te de desarrollo) es necesario para que
la sociología pueda cumplir con la función de ciencia de la realidad que reclama para sí. En efecto, la realidad social
de hoy, la modernidad globalizada, se
caracteriza por los ámbitos de acción
globalizados del capital, la expansión de
las tecnologías de la comunicación y del
transporte, la formación de movimientos globales de la sociedad civil, el surgimiento de redes terroristas globales,
etc. La suma de estas evoluciones —y, no
en último término, el impacto de los

riesgos y las crisis que ahora se ponen de manifiesto— ha abierto una profunda fisura que afecta también y precisamente a las relaciones intergeneracionales: la autodefinición de la primera modernidad ha quedado tocada en su esencia, sus premisas básicas de frontera, seguridad y racionalidad se han vuelto cuestionables. De ahí que, y ésta es nuestra tesis, la idea de generaciones cerradas en términos nacionales sea históricamente obsoleta. Lo que necesitamos es un concepto de «generaciones globales».[2]

Para acercarnos a este objetivo conviene distinguir entre dos planos: por una parte, el del observador científico social que *investiga* las generaciones en un marco referencial global (perspectiva del observador); por otra, el plano de los sujetos actuantes, de los miembros de la «generación global», que se *autoidentifican* en un marco referencial global (perspectiva de los actuantes). Este ensayo adopta la perspectiva del observador científico social y contiene en su núcleo un mensaje metodológico: lo que en el marco referencial nacional aparece como fractura intergeneracional condicionada nacionalmente sólo puede descifrarse de forma adecuada en el marco de una perspectiva cosmopolita. De ello no se deriva que hoy en día exista ya una generación global consciente de sí misma que desarrolle una cosmovisión y una autovisión transfronterizas y, de paso, un simbolismo y un lenguaje propios, unas formas de actividad y unos objetivos propios. Es cierto que hay una serie de indicios que apuntan en esta dirección, como por ejemplo la fórmula de «pensar globalmente y actuar localmente» que, después de encontrar sus primeros seguidores entre los grupos ecologistas y pacifistas, se ha extendido hasta las redes del terrorismo internacional; o la rápida expansión de Internet que se convierte cada vez más en un marco referencial de la percepción del mundo de la generación emergente. No obstante, esta cuestión más amplia de una generación *política consciente de sí misma,* de sus ensueños y espacios de actividad, tiene que quedar abierta en este ensayo.

Dejarla abierta es razonable, también, porque «globalización» no significa de ningún modo que en la generación joven se esté imponiendo una equiparación de las situaciones sociales a escala mundial, desde Dubai hasta Duisburgo, desde Río hasta Ratisbona. Al contrario: la desigualdad social de las oportunidades vitales salta a la vista. Es precisamente esto lo que genera una especial importancia y una tensión interna: el ámbito de experiencia de la «generación global» está ciertamente globalizado, pero al mismo tiempo está marcado por profundos contrastes y líneas divisorias. En primerísimo lugar, cabe mencionar el abismo económico que separa a los habitantes del Primer Mundo de todos los demás, ese abismo de los recursos materiales, de las posiciones y oportunidades de acceso que se hace notar también en la carrera por los iconos del consumo. Por ejemplo, las zapatillas deportivas Nike: codiciadas en todo el mundo, sólo las pueden adquirir los jóvenes de naciones y capas acomodadas; los otros pueden comprar, en el mejor de los casos, las copias piratas y baratas de la marca, y muchos ni siquiera ésas. A esto se añade la diversidad de los contextos culturales que, a su vez, promueven dicha polarización. Dado que las experiencias e imágenes globales se asocian siempre a tradiciones, experiencias históricas e imágenes guía de índole local, los mismos acontecimientos se perciben, se encuadran y se valoran de modo distinto en cada caso, siempre en función de la cultura y la situación social mundial. Por ejemplo, las imágenes de los jóvenes palestinos que se inmolan y arrastran a la muerte a otros: para unos son imágenes de asesinos; para otros, imágenes de héroes y luchadores por la liberación. Si se integran ambos factores —la globalización por un lado y la desigualdad por otro—, la pregunta guía podría formularse de la siguiente manera: ¿en qué medida podemos constatar, en la actualidad y en el ámbito global, el surgimiento de generaciones transnacionales?; ¿qué fracciones se perfilan en el seno de la generación global?; y ¿qué relación guarda una determinada fracción de la generación global con las demás?

A continuación vamos a explorar más detenidamente ese ámbito global de experiencias y expectativas, con las paradojas y contradicciones que encierra. Es obvio que esto no se puede hacer de forma exhaustiva, sino sólo siguiendo un procedimiento deliberadamente ilustrativo. Éste consistirá en presentar tres *constelaciones generacionales de carácter transnacional* que representan distintos segmentos de la dinámica de conflictos social mundial. Este planteamiento oculta un paso metodológico sistemático: a diferencia de lo que venía haciéndose hasta ahora, no nos ocuparemos de la «generación» única como entidad naturalmente definida en el contexto de las fronteras nacionales; más bien, ampliaremos el horizonte analítico más allá del marco de las fronteras del Estado nacional, esbozando varias «constelaciones generacionales de carácter transnacional» y relacionando sistemáticamente la desigualdad de las situaciones sociales mundiales con el tema generacional. Al enfocar estas constelaciones generacionales no pretendemos mostrar sino esbozar —mucho más modestamente— los primeros contornos de cómo unas condiciones de globalización cultural, social y económica se traducen para las generaciones jóvenes en ámbitos de experiencias y expectativas locales a la vez que transnacionales; cómo de este modo, y transmitidas por diversas instancias, se generan nuevas situaciones existenciales, nuevas pretensiones, vínculos, peligros y esperanzas, así como nuevos miedos, valores, conflictos y formas de protesta.

1. Expectativas de igualdad y sueños de migración

La percepción de la desigualdad social se ha producido en numerosas ocasiones de forma peculiarmente restringida, a saber: limitada al marco referencial del nacionalismo metodológico. Es decir, la desigualdad social sólo se considera un problema si se da en el terreno interior, en el ámbito del Estado y la sociedad nacionales. Si la pobreza, el hambre o la opresión se dan ahí «fuera», [allende] las fronteras del propio país, no son motivo de escándalo público. Es cierto que en los medios de comunicación aparecen una y otra vez imágenes de niños muriéndose de hambre en África que [suelen] provocar un breve [clamor de espanto,] pero ello es sobre todo un reflejo humanitario que no implica ninguna presión de legitimación política y que apenas se traduce en acciones políticas [duraderas.] En la sociología académica predomina [a menudo] una actitud similar: apenas toma nota del tema de las desigualdades sociales, ni mucho menos lo estudia con detalle, puesto que dicha materia se sitúa fuera de las fronteras del Estado nacional y, por tanto, fuera del ángulo visual del [gremio.]

Así al menos ha sido hasta ahora. Sin embargo, con el cambio generacional —como intentaremos demostrar seguidamente— se [vislumbra] una transmutación, en la cual la legitimación nacional comienza a [resquebrajarse.] Una de sus causas podría [radicar] en el hecho de que la línea [divisoria] entre poseedores y desposeídos sea, a escala mundial, cada vez más [tajante.] Aunque en la ciencia esta tendencia es objeto de controversia, desde nuestro punto de vista es importante que, a escala mundial, se esté imponiendo una tendencia inversa, orientada hacia una *mayor igualdad,* por lo menos en el plano de las normas. Los impulsos que la promueven se pueden localizar, a nuestro modo de ver, en cuatro planos, y su efecto común es la expansión mundial de *principios* de igualdad y de *expectativas* de igualdad.

• *Discurso igualitario poscolonial:* en tiempos del dominio colonial, la inferioridad de los otros, los «indígenas», los «salvajes», parecía un hecho [cuasi]natural (de ahí la difícil tarea, «the white man's burden»,* de enseñar a esos otros un mínimo de civilización y racionalidad). Es[sabido] que el discurso poscolonial ha [sustraído] a tales presunciones su base de legitimación.

well-known

• El *dualismo nacional de derechos humanos y derechos ciudadanos* se ha visto[quebrantado]: la garantía de los derechos humanos está definida normativamente en cada vez más instancias, como la Carta de Derechos Humanos de Naciones Unidas, los tratados de la

quebrantar: to break

* La carga moral del hombre blanco. *(N. del t.)*

Unión Europea y las constituciones de muchos Estados nacionales. [Tales] garantías hacen cada vez más difícil discriminar entre ciudadanos y no ciudadanos, entre nativos y extranjeros, así como reservar determinados derechos para unos excluyendo a otros.

- *Expansión de modos de vida transnacionales.* [tal como] muchos estudios sobre migraciones han puesto de relieve, hay cada vez más grupos que no viven en un país o en otro sino en varios países a la vez. En cierto modo esas personas [desempeñan] una función de [puente.] Al establecer [redes,] organizaciones o instituciones de carácter transnacional y visitar regularmente a los familiares de la vieja patria crean numerosos [vínculos] entre el país de origen y la sociedad de adopción, contribuyendo al mismo tiempo a la exportación de modos de vida, normas y pretensiones occidentales: «the west and the rest» se encuentran el uno con el otro.

- Debido a los nuevos *medios de comunicación y tecnologías de transporte* las distancias comienzan a acortarse, no en el sentido estrictamente cuantitativo, sino en su dimensión social: incluso entre lugares remotos hay cada vez más líneas de unión y formas de encuentro. La distancia geográfica ya no significa necesariamente distancia social.

Todo[ello]implica, según nuestra tesis, una expansión en fase inicial de normas de igualdad y expectativas de igualdad.

Se trata de un proceso con consecuencias trascendentales. La desigualdad entre poseedores y desposeídos, entre el Primer Mundo y el resto, ya no se acepta como una fatalidad sino que se cuestiona con persistencia, por lo menos unilateralmente, esto es, por aquellos que están «ahí fuera». Son los otros, los excluidos, los que [pertenecen] a países y continentes lejanos quienes empiezan a rebelarse contra la legitimación hasta ahora [vigente] de la desigualdad social: con esperanzas y sueños de migración que se traducen en acciones prácticas.

Entendiéndola en este sentido, la generación global no es la generación occidental sino precisamente la *no* occidental que, más allá de las fronteras nacionales, se [subleva] contra las desigualdades reivindicando la igualdad. «Quiero entrar ahí», [reza] la nueva Internacional, [el lema] de la mundial «generación Schröder» que se planta ante las vallas fronterizas de las sociedades occidentales y [las sacude] con fuerza. En los capítulos que siguen vamos a ilustrar cómo esta tendencia empieza a abrirse camino y cómo hace cambiar profundamente los proyectos de vida de la generación emergente en muchas partes del mundo.

Globalización cultural

El cine y la televisión, los vídeos e Internet: en las últimas décadas y sobre todo en los últimos años, las ofertas de los medios de comunicación se han multiplicado y se han vuelto accesibles a un público cada vez más numeroso. Los medios de comunicación transmiten informaciones, [veraces] y no tan veraces. Narran historias, a su vez veraces y no tan veraces. En cualquier caso vehiculan mensajes, reclamos y promesas que estimulan poderosamente la fantasía de las personas. Ha sido el antropólogo Arjun Appadurai, que estudia los efectos de los medios de comunicación, quien ha [señalado] esta realidad. Según él, el ámbito de influencia de esos medios es enorme: su difusión llega a países y continentes lejanos, donde no sólo alcanza las ciudades sino también, y cada vez en mayor medida, las poblaciones más remotas, sea en la India o en la Anatolia oriental. Las imágenes transmitidas de

subj.

esa manera no siempre se ajustan a la realidad, como ya hemos apuntado, sino que están llenas de mitos y ficciones. Correspondan a la realidad o no, lo decisivo es que influyen en los proyectos de vida: «En el mundo entero cada vez más personas contemplan su propia vida a través de la óptica de formas de vida posibles que ofrecen los medios de comunicación de cualquier manera imaginable. Esto significa que la fantasía se ha convertido hoy en una práctica social; es el motor, en un sinfín de variantes, de la organización de la vida social de muchas personas en múltiples sociedades».[1] En vez de aceptar simplemente su propia vida como fatalidad, un número de personas cada vez mayor comienza a imaginar otros mundos y a compararlos con el suyo. De este modo, la vida del individuo no está sólo determinada por las circunstancias inmediatas, sino cada vez más por realidades sociales mundiales y posibilidades «que los medios (de forma directa o indirecta) sugieren como realizables».[2]

A ello se agregan los flujos del turismo mundial que, en cierto sentido, provocan un efecto similar.[3] Lo que los autóctonos perciben es un sinnúmero de turistas que pasan semanas enteras sin hacer nada, que se permiten el lujo de alojarse en hoteles y comer en restaurantes, alquilar coches e irse de excursión, contratar masajes y cursos de buceo, comprar recuerdos y otras cosas. ¡Qué bienestar más fabuloso! ¡Qué vida tan bella!

Cambios en las escalas de valores

De esta manera, los medios de comunicación y el turismo propagan imágenes, mitos y malentendidos. A las regiones más apartadas del planeta llegan comparaciones y deseos hasta ahora insospechados. La pregunta que necesariamente ha de surgir en estas nuevas condiciones de interconexión mundial es la siguiente: ¿por qué he de ser pobre y estar oprimido, pasar hambre y trabajar duro sin esperanza alguna si en otras partes hay personas que tienen más que suficiente para comer, poseen una casa y un coche y pueden ir al médico cuando están enfermas? ¿Por qué sufrir aquí? ¿Por qué no intentar llegar a esos lugares?

La migración, pues. Es el sueño que

hoy espolea a muchas personas —sobre todo jóvenes— de muchos países del mundo. Por ejemplo a Vita, de 21 años, camarera en Turki, una región rural y pobre de Letonia.[4] Quiere marcharse a Irlanda, donde ya está su hermana y donde se puede encontrar un trabajo bien remunerado. Entonces, así lo espera, podría comprarse por fin un coche y un televisor, un ordenador y ropa nueva. Resume sus deseos en una sola frase: «Quiero llevar una vida normal». Y ¿de dónde viene lo que Vita llama normalidad? Difícilmente vendrá de Turki: muchas de sus pequeñas casas de madera ni siquiera tienen electricidad, y la gente lee a la luz de las velas. Es evidente que las escalas de valores y las imágenes guía de Vita proceden de otros lugares. En ellas se aprecia un nuevo orden que ya no es el orden de la patria y región de origen, sino el orden (imaginado) de un anhelado mundo más amplio.

Son estas nuevas escalas de valores las que mueven sobre todo a los jóvenes a abandonar su patria para ganar dinero en Irlanda, California o Hong Kong. Al igual que Vita buscan trabajo en las regiones mundiales del bienestar a fin de hacer realidad su sueño de un futuro mejor.

Pero desde que el paro y la pobreza aumentan también en el Primer Mundo, muchos países apenas dejan entrar ya a migrantes laborales. La «fortaleza Europa» o «fortaleza del Primer Mundo» se rodea de muros cada vez más altos. Sin embargo, muchas personas de las regiones pobres de la Tierra no quieren claudicar. Buscan caminos alternativos, rodeos, agujeros que todavía existen y por los que pueden colarse. Entre ellos ha corrido rápidamente la voz de que las nuevas leyes migratorias sólo dejan abierta una última puerta de ingreso relacionada con la protección de la familia. Reagrupación familiar es la fórmula mágica que permite a quienes residen en un país del Primer Mundo traer a parientes cercanos de su patria.

El matrimonio como billete de entrada

Entre los parientes cercanos se encuentran los padres, los hijos y también los cónyuges. Así se explica por qué en los países económicamente desfavorecidos se va generalizando hoy en día un nuevo sueño: el sueño del matrimonio, condición previa para entrar en uno de los países acomodados del planeta. ¡Alguien de Occidente, alguien que me pueda llevar! Éste es el candidato predilecto en las regiones lejanas del bienestar, desde Suazilandia hasta Filipinas y desde Brasil hasta Rusia. A medida que la migración se torna en un proyecto de vida y que, paralelamente, se van cerrando las vías migratorias, el matrimonio se convierte en un objetivo más deseado, en una esperanza.[5]

Este tipo de matrimonios se puede buscar por diferentes vías, siempre en función de las condiciones locales y las circunstancias personales. En muchas

regiones turísticas del mundo se consta-
ta hoy en día cómo mujeres jóvenes (y
también hombres) entran en el prolife-
rante negocio del turismo sexual y de
los romances vacacionales, no sólo para
ganar dinero de forma inmediata sino a
menudo movidas por la esperanza de
encontrar una pareja para una relación
más duradera y, de paso, conseguir el
ansiado billete de entrada a un país del
bienestar. Otros prueban fortuna me-
diante anuncios de matrimonio, agencias
matrimoniales que operan a nivel internacional, o buscando directamente pareja en Internet. Sin embargo, las oportunidades son claramente mejores para
aquellos que ya tienen familiares que residen en el Primer Mundo, porque pueden usar las redes familiares y apelar a la

lealtad de la familia para encontrar un cónyuge entre los primos y parientes que viven en el extranjero. Un ejemplo de ello es Pakistán: «Emigrar al Reino Unido es el objetivo anhelado por los hombres jóvenes que sueñan con el ascenso social y económico. Por tanto, concentran todas sus esperanzas en encontrar entre los familiares residentes en el Reino Unido a una mujer joven que vía matrimonio les facilite la entrada al país».[6] En el globo entero, hombres y mujeres jóvenes abrigan esperanzas similares.

Sean cuales sean las estrategias individuales, en lo fundamental se trata siempre de encontrar un futuro mejor en la tierra prometida que representa el otro lugar. El proyecto migratorio está experimentando un auge mundial, convirtiéndose en la esperanza de un sinfín de jóvenes de países pobres. Está emergiendo una generación cuyos planes de vida ya no se detienen en las fronteras del Estado nacional, sino que se proyectan al ancho globo terráqueo. Resumiéndolo incisivamente: para comprender qué motivaciones son hoy la regla entre la generación joven del Segundo y Tercer Mundo, hay que considerar la fuerza de las imágenes, los mensajes y las escalas de valores que vienen del Primer Mundo. Éstos siempre encierran, de forma indirecta o abierta, la llamada o incitación a salir del país y lanzarse a la aventura de la emigración.

2. Patrias transnacionales

Es probable, pues, que en el futuro los flujos migratorios se incrementen aún más. Hay cada vez más personas para las que la migración forma parte de la historia inmediata de sus familias y sus vidas. Incluso en Alemania, donde durante tanto tiempo se ha defendido la fórmula de «no somos un país de inmigración», uno de cada tres jóvenes proviene ya de una familia de origen migratorio.[1] La tendencia va en aumento, y el grupo es muy heterogéneo, contando con descendientes de turcos naturalizados, emigrantes rusogermanos o refugiados afganos, y también con hijos de matrimonios germano-italianos o germano-iraníes.

Esto suscita la pregunta de cómo se estructura la identidad de unos jóvenes que reúnen en sí dos grupos sociales o dos culturas. Cuestiones de este tipo tienen una larga tradición, sea en la vida cotidiana, en la literatura o en la ciencia. Para la sociología marcó la pauta un ensayo de Robert Park, publicado en 1928, que desde entonces ha sido citado en reiteradas ocasiones. Trata —y hace tiempo que el término se ha convertido en un concepto clásico— del *marginal man*, del hombre que vive al margen de la sociedad, es decir, el ser marginado. No se refiere a un marginado cualquiera, sino particularmente al individuo que procede de la migración y, a menudo, de una familia bicultural. En Park ese marginado viene a ser un estado interior, un carácter especial, cifrado en la naturaleza de su origen y situación transfronterizos. Entre los rasgos del *marginal man* figuran por tanto «la inestabilidad mental, la inseguridad interior, el desasosiego y un estado de malestar generalizado».[2]

La imagen clásica: la tragedia del marginado

Las reflexiones de Park inauguraron toda una tradición de pensamiento. Pocos años después apareció un libro de Everett V. Stonequist, un colega de Park, que entronca con sus ideas y las desarrolla ampliamente. Lo que en aquél ya estaba contenido *in nuce* Stonequist lo pone aún más de relieve y lo describe en innumerables variaciones: desasosiego, nerviosismo interior, falta de equilibrio..., elementos todos ellos que se convierten en la característica fundamental del *marginal man* y se le adhieren como un destino insoslayable. En condiciones favorables esto puede manifestarse como una discreta e indefinible sensación de alienación, como «cierta soledad interior generada por la precaria posición social». En otras condiciones, sin embargo, se producen graves conflictos, «tan angustiosos que privan al individuo de todo sostén interior». Se inicia entonces un proceso que conduce a la disgregación interior y hasta «el exceso, el crimen, el suicidio o la psicosis».[3]

Las ideas formuladas por Park y Stonequist entroncaban con un pensamiento arraigado en el espíritu de la época. Ideas de corte similar siguen presentes hoy en día y forman parte del repertorio de conocimientos de la sociedad mayoritaria. En Alemania han provocado un gran efecto en el debate sobre la «migración laboral y sus consecuencias»: cuando en la década de 1970 cada vez más migrantes laborales se establecieron allí con carácter duradero, trajeron a sus familias y tuvieron hijos en el país, empezó, en los años sucesivos, un debate sobre el «pobre niño extranjero». Ya fuera en el terreno de la salud, de la vivienda, la familia o la enseñanza, los hijos de familias migrantes se veían asediados y marcados por toda clase de lacras. Carecían de patria, de lengua, de sostén interior; en definitiva, eran presos de una situación sin salida. Éste era el tenor de numerosas publicaciones, a menudo apreciable ya en los títulos: *La infancia en el conflicto cultural*,[4] *Jóvenes extranjeros en conflicto*,[5] *Problemas de culpabilidad en hijos de trabajadores inmigrantes*,[6] *Problemas socioculturales de jóvenes turcas*[7] o *Problemas de integración de jóvenes extranjeros*.[8]

Nuevas noticias alarmantes

También hoy, varias décadas después, los diagnósticos de este tipo están muy difundidos e incluso cobran especial actualidad a la luz de cómo han evolucionado las cosas. Así, por ejemplo, las noticias que nos ofrecen los estadísticos educativos muestran invariablemente un patrón similar: los perdedores del sistema educativo alemán son los jóvenes procedentes de familias extranjeras. Están sobrerrepresentados en las enseñanzas secundaria y especial, mientras que escasean en los centros de bachillerato. Esas noticias, y de ello no cabe duda, revelan lacras existentes así como tendencias extremadamente problemáticas desde el punto de vista social. Pero cabe preguntarse si valen como prueba de un trágico conflicto cultural que golpea a todos los jóvenes de origen migratorio como si se tratara de una fatalidad.

De hecho, tal interpretación, por plausible que parezca a primera vista, pierde buena parte de su base empírica si examinamos los datos con más detalle. En primer lugar, las estadísticas educativas son de limitado valor informativo porque se realizan exclusivamente según el criterio «nacional/extranjero». Y lo que agrupan bajo la categoría de «jóvenes extranjeros» no son ni mucho menos todos los jóvenes de origen migratorio, sino en su mayoría —a causa de efectos de selección de distinta índole— los grupos problemáticos.[9] Sobre todo, no tienen en cuenta las consecuencias de la naturalización: «El balance de los extranjeros se ve perjudicado por cuanto que la naturalización le resta selectivamente los individuos exitosos».[10]

Por otra parte, el desglose por nacionalidades de la categoría «jóvenes extranjeros» depara más sorpresas. Pone al descubierto la existencia de grupos que desentonan con la imagen negativa del fracaso escolar. Se trata de jóvenes procedentes de familias iraníes, rusas y ucranianas, que obtienen mejores resultados educativos que los propios alemanes.[11] Esto significa, pues, que la experiencia migratoria como tal no puede ser el factor clave del fracaso en el sistema educativo. Ésta es también la conclusión a que llega un actual estudio científico social que propone algunas fórmulas para el desarrollo de las estadísticas oficiales. Sus autoras analizan las estadísticas educativas desde varios planos para demostrar qué tiene mayor peso en la obtención del éxito escolar: haya habido migración o no, el elemento decisivo es el nivel educativo de los padres.[12] Si éstos poseen una cualificación superior, les transmiten a sus hijos desde temprana edad la capacidad de «aprender a aprender», como por ejemplo, disciplina, curiosidad o perseverancia. Esto incrementa, como es fácil de suponer, las oportunidades de los hijos para conseguir un buen rendimiento en el sistema educativo, y explica al mismo tiempo por qué los alumnos extranjeros, comparados con los alemanes, salen reiteradamente peor parados: en el caso de los alemanes, la generación de los padres tiene una formación escolar claramente superior. En efecto, en el segmento poblacional extranjero están representados sobre todo los trabajadores inmigrantes y sus descendientes. Y en el pasado, cuando la economía alemana captaba mano de obra para el trabajo en las fábricas y las cadenas de producción, no llegaban licenciados universitarios, sino personas que sólo habían cursado algunos años en la escuela elemental de su pueblo. Ahora bien: si son las malas premisas educativas de la generación parental las que básicamente explican los datos de las estadísticas educativas, éstas no pueden servir como prueba de un trágico conflicto cultural.

Contraproyectos positivos: *Muy en su sitio*

¿Qué hacer, pues, si las noticias alarmantes no son susceptibles de generalización? Se brinda entonces la ocasión de descubrir los inicios de un cambio sorprendente. La imagen del pobre y desorientado niño extranjero ya no es válida e incontestable; los socorridos clichés trágicos comienzan a ser cuestionables y su lugar lo van ocupando por primera vez imágenes alternativas y opuestas, ya sea en la literatura, en la ciencia o en los medios de comunicación. En ellas no se incide tanto en la vida *entre* las culturas cuanto en la vida *con* distintas culturas, y esa vida ya no se presenta como una desviación, perturbación o rara excepción sino como algo absolutamente normal. Es más: aparece como una oportunidad.

La socióloga Berrin Özlem Otyakmaz (nacida en Turquía y residente en Alemania), por ejemplo, ha interrogado a jóvenes mujeres migrantes de origen turco. De las entrevistas nació su libro *Auf allen Stühlen* [Muy en su sitio]. El título encierra ya un mensaje que nada tiene que ver con el tono quejumbroso que acompaña los debates alemanes sobre migración, las jeremiadas sobre la pobre mujer extranjera o el paupérrimo niño extranjero. Dice la autora: «Las jóvenes procedentes de familias migrantes no se quedan cruzadas de brazos ni se comportan como víctimas que esperan que algún corazón magnánimo las ayude a salir de su situación. Luchan por su lugar en esta sociedad y ya han creado sus propios proyectos de vida. [...] Son la prueba viviente de que la vida en y con distintas culturas es posible, enriquecedora e incluso deseable. No están descolocadas; están muy en su sitio».[13]

Pero ¿no se tratará de excepciones, de casos aislados, no representativos y por tanto sin peso? Por justificada que sea la objeción, sólo es cierta en parte. Pues en la segunda generación inmigrante se ha producido desde hace tiempo una diferenciación interior y una polarización de las situaciones. También entre los hijos de los migrantes laborales hay un grupo cada vez mayor de hombres y mujeres jóvenes que se desenvuelven con éxito en el sistema educativo alemán y que se mueven con destreza en la sociedad germana. De esto, sin embargo, la mayoría de la población no toma nota. Hay múltiples razones para ello. Por una parte, los viejos prejuicios y hábitos de pensar son persistentes. Por otra, las estadísticas oficiales facilitan datos incompletos. Y los políticos se ocupan preferentemente de las esferas problemáticas de la sociedad. Por estas razones y otras similares el debate sobre la segunda generación se centra casi exclusivamente en los «casos problemáticos» y en los «fracasados», en aquellos que no aprueban los estudios primarios o destacan negativamente. Aquellos, pues, que reafirman el cliché del pobre niño extranjero.

Una imagen claramente distinta es la que traza la antropóloga Regina Römhild, que ha interrogado a jóvenes del barrio Gallus de Fráncfurt, una zona con elevado porcentaje de población migrante. Estos jóvenes, tal y como los percibe Römhild, no están en absoluto desarraigados. Al contrario, muchos de ellos se crean sus propias raíces. Es cierto que la migración y la globalización comportan la desaparición de viejas patrias, pero al mismo tiempo surgen otras nuevas. Éstas, sin embargo, «siguen una lógica distinta. Las prácticas culturales en las sociedades de inmigración muestran que las personas tienen varias patrias, que pueden desarrollar y vivenciar varios vínculos culturales y sociales, que al hacerlo subvierten creativamente los patrones de separación nacional y étnica, proyectando de esta forma su propio mundo más allá de las fronteras del Estado nacional».[14] En esa proyección, continúa diciendo la autora, el lugar o la región de residencia cobran un gran significado emocional. Berlín, Fránkfurt, Stuttgart o Núremberg son para muchos miembros de la segunda o tercera generación el centro de su vida. Se sienten griegos nurembergueses o turcos berlineses. En este sentido, el político de los Verdes Cem Özdemir sentenció una vez: «Soy un suabo anatolio».[15]

Sin embargo, tales formas de vida le resultan muy extrañas a la sociedad mayoritaria alemana. La identidad de gran parte de los adultos sigue definiéndose en términos monoculturales y mononacionales, y eso determina también su horizonte, sus escalas de valores y sus expectativas, así como las de amplios sectores de la comunidad científica. Esto no simplifica precisamente la tarea de la investigación. De ser correcto el diagnóstico que hemos presentado, los científicos sociales tienen que aprender a abrirse a la temática de los vínculos, patrias e identidades transnacionales, circunstancias éstas que en la generación emergente se van convirtiendo cada vez más en la regla. Si esto no se consigue, la investigación generacional y juvenil se volverá incapaz de comprender su objeto: la realidad vivencial de la generación global.

3. Globalización e inseguridad creciente

La globalización, entendida en términos económicos, no sólo significa intercambio comercial y apertura de los mercados. Ocasiona también una competencia más fuerte, un ritmo más acelerado, una mayor presión innovadora; y, como consecuencia del imperativo de adaptación global, un mayor desmantelamiento de derechos sociales y garantías de protección.[1] El enorme cambio que se ha hecho efectivo en este terreno en un lapso relativamente breve se aprecia con toda claridad si comparamos la situación actual con la que existía en las décadas de 1950, 1960 o 1970. Desde la perspectiva actual aquellos años parecen una época de armonía, de estabilidad duradera. Es cierto que el nivel salarial era entonces más bajo y el bienestar, más modesto; pero, por otro lado, los contratos de trabajo indefinidos y los horarios laborales fijos constituían la regla, al menos en Europa central, y muchos asalariados permanecían toda su vida en el mismo puesto y hasta en la misma empresa. Durante los años del prolongado auge económico la mano de obra era muy solicitada, e incluso cuando el desempleo comenzó a aumentar se mantuvo en niveles comparativamente bajos.

Los jóvenes de entonces, si tenían un

expediente escolar más o menos aceptable, gozaban por tanto de buenas perspectivas de trabajo: podían encontrar en poco tiempo un empleo y además conservarlo; un empleo remunerado de tal manera que les permitía vivir, si no de forma opulenta, sí desahogadamente. Quienes querían trabajar y estaban medianamente sanos no tenían motivos para preocuparse por su futuro laboral. Podían contar —en un marco modesto, como hemos dicho— con cierta seguridad social y material.

Tempi passati, tiempos idos. «¡Socorro! Mi puesto de trabajo emigra.» He aquí una frase que caracteriza a la era de la globalización.[2] En los países occidentales el paro ha aumentado drásticamente. Y el que tiene trabajo hoy, a menudo no sabe si lo tendrá mañana. Los postulados que determinan cada vez más el mundo laboral se llaman «flexibilización» y «desregulación». A quienes entran en la vida laboral sólo se les ofrece, en muchos casos, contratos en prácticas (lo que, dicho sin rodeos, significa trabajar regularmente por poco dinero). También en la fase siguiente hay cada vez menos puestos fijos y sí, en cambio, contratos a corto plazo; es decir, no hay seguridad perdurable sino sólo un cheque para hoy y mañana. Esta tendencia difícilmente decrecerá en el futuro; más bien, se intensificará: «Por todas partes la forma de trabajo tradicional, basada en el pleno empleo, los contratos laborales fijos y una vida laboral con un patrón de carrera bien defi-

nido, se ve subvertida lenta pero segura-
mente».[3]

E incluso si uno tiene suerte y en-
cuentra empleo, el lugar y los horarios
de trabajo exigen un constante ejerci-
cio de adaptación. En lugar de continuidad se reclama disponibilidad de cambio
múltiple. La movilidad geográfica forma parte del día a día; cuando un trabajo se acaba, hay que buscar otro. Cada
vez son más los campos profesionales
que obligan a la flexibilidad temporal.
Casi nadie puede desarrollar ya un ritmo de vida estable; las exigencias cam-
bian constantemente y demandan una
permanente adaptación, sea en forma
de cursillos nocturnos, turnos de noche
o servicios de fin de semana. Quien no
puede o no quiere seguir esta tónica,

prácticamente no puede competir en el mercado laboral.

Este cambio estructural del mundo del trabajo y sus masivas consecuencias biográficas está documentado en numerosos estudios. Donde se hace notar particularmente es en la industria cultural con sus diferentes ramos, según se desprende de un análisis de Angela McRobbie.[4] Después de la reducción de los puestos fijos se ha generado en este sector un mundo propio en el que sueños ambiciosos desembocan en contratos de obra mal remunerados. En artes gráficas y diseño, museos, medios de comunicación y campos similares se concentran hombres y mujeres jóvenes que —muchas veces tras una formación larga y exigente— desean aplicar su imaginación y sus capacidades, y que a cambio del privilegio de poder trabajar en su especialidad no reparan en horarios laborales ni, menos aún, se plantean cuestiones como la de la previsión de la vejez. Es un mundo del «yo S.A.» creativo que, altamente motivado, practica la autoexplotación.

La «generación en prácticas» y la experiencia de la precarización

Este cambio estructural que caracteriza al mundo del trabajo en su conjunto golpea de modo particularmente drástico a los más jóvenes. Mientras que los mayores, si tienen suerte, disfrutan todavía de ciertas garantías consistentes en convenios colectivos y protección contra el despido, la situación de la gente joven ha empeorado en dimensiones francamente dramáticas, pues se ve obligada a manejarse en un mercado completamente expuesto a la libre competencia. «Generación en prácticas» es el apelativo que resume de la forma más concisa la inseguridad de su situación y que se ha convertido en su emblema. En Francia la palabra que expresa la nueva inseguridad es *précarité*. Bajo este nombre salieron a la calle cientos de miles de jóvenes en la primavera de 2006, llamando a la huelga y poniendo en un serio aprieto al gobierno francés.

La extensa dimensión geográfica que ha adoptado este cambio estructural viene atestiguada por un macroestudio cuantitativo y comparativo internacional que lleva el significativo título de «Globalización, incertidumbre y juventud en la sociedad».[5] Abarca a hombres y mujeres jóvenes de catorce países de la OCDE —desde Hungría hasta Canadá y desde Alemania hasta México— atendiendo a las cohortes de nacimiento, las carreras formativas y los niveles de cualificación. Los resultados empíricos, apoyados en cálculos minuciosos y numerosas tablas, documentan el tenor común de la creciente inseguridad generalizada.[6] Además, se observan sobre todo tres fenómenos particulares:

En primer lugar, la generación joven es realmente la más afectada, y con creces. «Los jóvenes que tienen menos experiencia en el mercado laboral y todavía no disfrutan de la protección de los mercados laborales nacionales están más expuestos a las fuerzas de la globalización, lo que les convierte en "perdedores" de la misma.»[7] En segundo lugar, si bien todos los jóvenes se ven afectados, no todos lo están de igual modo. Aquellos que se sitúan en el extremo inferior de la jerarquía social y ocupacional son los que mayor riesgo corren: «Son sobre todo los trabajadores no cualificados o escasamente cualificados en los que más inciden los cambios recientes. [...] Los jóvenes ubicados en situaciones ocupacionales de baja categoría se hallan más expuestos al riesgo de obtener solamente contratos temporales, perder el trabajo, permanecer en posiciones inseguras o no adquirir derechos de jubilación».[8] En tercer y último lugar, se aprecian también perfiles distintos según los países, que apuntan a diferentes regulaciones socioculturales y normas socioestatales.

En Italia y en España, los jóvenes con un nivel formativo más bajo tienen incluso mayores oportunidades para encontrar un primer empleo. Sin embargo, en sus sistemas ocupacionales, los jóvenes altamente cualificados tienen que ocupar un puesto elevado desde su misma entrada en el mercado laboral. Si ocupan un puesto por debajo de su cualificación, les será mucho más difícil llegar a un nivel más alto. Por el contrario, en países con sistemas ocupacionales abiertos, los jóvenes aceptan toda clase de trabajos, dondequiera que encuentren un hueco, con tal de tener algún empleo. Allí, las posiciones de menor cualificación repercuten menos desfavorablemente en la carrera profesional de largo plazo.[9]

Estos resultados y otros similares permiten sacar dos conclusiones. Por una parte, la inseguridad creciente, sobre todo en la generación joven, no es un hecho local, regional o nacional. Dicha inseguridad se está convirtiendo más bien en una experiencia fundamental transfronteriza y es un elemento generacional común que podríamos resumir en esta fórmula: *unidos en el descenso*.

Por otra parte, se puede descubrir una simultaneidad paradójica y hasta explosiva. Si bien en el Primer Mundo los riesgos para los jóvenes están cada vez más presentes y las incertidumbres existenciales van en aumento, esos países siguen siendo el objetivo soñado por muchos jóvenes de los barrios pobres del mundo. Por consiguiente, los miedos existenciales de unos topan con las esperanzas de futuro de otros. Aquí, la «generación menos» (que, en comparación con las décadas pasadas, sufre pérdidas económicas); allá, la «generación más» (que, movida por las imágenes de un Occidente acomodado, quiere participar del bienestar); ambas, y éste es el punto clave, pertenecen a la generación global. Lo que ya se está perfilando en la actualidad adoptará tal vez formas más nítidas en el futuro: una nueva lucha global por la distribución de la riqueza. Unos, atrincherados en una actitud defensiva, tratan de conservar los restos del bienestar, con leyes y barreras fronterizas; otros, echándose al camino, asaltan esas mismas fronteras con todas sus fuerzas, propulsados por la esperanza de una vida mejor. El resultado es una relación mutua cargada de conflictos: una fracción de la generación global enfrentada a la otra.

4. Conclusiones y perspectivas

Hoy, a principios del siglo XXI, se puede observar el despunte de una generación global. Ésta es la tesis fundamental de nuestro ensayo. Quien sabe de historia contemplará, tal vez con cierto escepticismo, este énfasis en lo nuevo y señalará quizás indicios que apuntan a una continuidad histórica. La dinámica política de finales del siglo XIX y comienzos del XX, ¿no se caracterizaba ya esencialmente por un «nuevo internacionalismo» de las generaciones políticas, como por ejemplo la Internacional socialista o los diversos movimientos pacifistas, colectivos éstos que reivindicaban la implantación de principios universalistas en el mundo entero? ¿No fue ya la resistencia contra el fascismo alemán la que después de la Segunda Guerra Mundial contribuyó a la emergencia de una «generación Europa» de tintes políticos? ¿Y no es precisamente la generación de 1968 el ejemplo clave de una generación global, puesto que su ámbito de actuación política desbordó las fronteras nacionales ofreciendo impulsos significativos para un pensamiento cosmopolita? En suma, ¿qué es lo nuevo hoy en día?; ¿por qué y sobre qué base se puede hablar del surgimiento de una generación global?

Tales preguntas están sin duda justificadas. A su vez, sin embargo, se puede mencionar una serie de rasgos en virtud de los cuales al movimiento de 1968 de la pasada centuria se le distingue con claridad de la generación global de principios del siglo XXI. Así, la de 1968 era ante todo una generación constituida políticamente, que se definía por la participación activa de sus miembros en acciones de protesta. En los albores del siglo XXI, en cambio, son *experiencias y acontecimientos de carácter cosmopolita* (como los que hemos citado al comienzo de este ensayo) los que se convierten en la clave de acceso a los ámbitos de expectativas de la generación emergente. Dicho de modo muy esquemático: en aquel entonces se actuaba colectivamente, hoy se reacciona de forma individualista. Aquéllos eran los críticos de la sociedad de consumo y de la industria cultural; éstos son, en cierta manera, los hijos de aquélla. Ya no relacionan las promesas de la sociedad global de consumo únicamente con el espacio de posibilidades que ofrece su propio país y derivan de ello el ímpetu de derribar las fronteras entre el Primer Mundo y el resto del planeta. Esta generación global se constituye en su esencia de forma apolítica porque se disgrega en distintas fracciones que conforman una dialéctica rica en conflictos.

Hemos presentado, a modo de boceto, tres constelaciones generacionales que representan cada una de ellas segmentos específicos de la sociedad del riesgo global y, correlativamente, experiencias y situaciones antagónicas. Común a todas ellas es un punto de inversión metodológico: ya no conciben la generación exclusivamente en el marco del Estado nacional y sus premisas. Inauguran —formulándolo en términos ambiciosos— un cambio y una perspectiva cosmopolitas en la sociología generacional. Para desarrollar este planteamiento hacen falta al menos tres pasos:

1) *Crítica del nacionalismo metodológico:* lo que no tiene sus causas en el ámbito del Estado nacional ni está limitado únicamente a él, no puede describirse ni explicarse enfocando solamente dicho Estado nacional. Esto significa que los estudios de sociología juvenil y genera-

cional que explican la situación de la generación emergente en Alemania tomando como referencia primordial la historia de la preguerra y posguerra alemana, el sistema educativo alemán, etc., resultan cada vez más anacrónicos dada la realidad social. Mientras que la primera modernidad se asentaba en las premisas básicas del Estado nacional, los compartimentos estancos son hoy cosa del pasado: Alemania o Polonia o Europa han dejado de ser sociedades claramente delimitadas. Quien ignora las múltiples interconexiones generadas por la producción y el consumo, Internet y la televisión, el turismo y la publicidad, carece de una clave decisiva para captar las esperanzas y los sueños, los miedos y las desilusiones, las acciones y las reacciones de la generación global. Es como si cogiéramos el mapa de la Alta Baviera para estudiar la ruta de viaje entre Singapur y Rosenheim. O, como lo expresa el personaje del maestro Anton en *Maria Magdalena* de Friedrich Hebbel: «¡Uno ya no entiende el mundo!».

2) En la generación global se juntan *distintas fracciones transnacionales,* en cierto modo «generaciones *patchwork»* globalizadas, cuyas piezas precisamente *no* se pueden ensamblar en un cuadro uniforme. Dice Schärfer que es justamente esa *no* uniformidad la que permite que surja la unidad en la diversidad de las constelaciones generacionales, en el centro como en la periferia, en la oposición como en la interacción entre

éstas. Es precisamente la mirada mono-
nacional y monocultural la que ignora
que el activismo de la generación global
no nace en el centro sino sobre todo en
las zonas marginales de la sociedad del
riesgo global, en aquellas regiones que
están condenadas a no tener salida de su
situación. La protesta de la «generación
migración» no se dirige tanto contra las
autoridades establecidas de la propia sociedad de origen, sino más bien contra
el orden internacional de la desigualdad
y sus guardianes. Con el «asalto a la fortaleza Europa» sus miembros pueden
apropiarse el derecho humano a la movilidad que Occidente gusta de proclamar.
Esto choca, sin embargo, con los miedos
de la «generación precaria» europea que
comienza a manifestarse contra los con-

tratos de trabajo inseguros y el descenso de los salarios.

Las fragmentaciones transnacionales de la generación global se entrecruzan con la formación de identidades transnacionales que enlazan filiaciones y patrias distintas, subvirtiendo en los propios conceptos (griegos nurembergueses, turcos berlineses, etc.) los patrones de clasificación y las categorías taxonómicas al uso. Sin embargo, en los medios de comunicación y en los debates políticos siguen predominando los viejos estereotipos que vienen a propagar una y otra vez un dualismo antagónico: nosotros aquí, los otros ahí. Mientras esos estereotipos, que se hallan notoriamente a la zaga de la realidad, estén presentes en el espacio público se darán falsas señales y se generarán efectos fatales para la práctica, ya sea en el sistema educativo, la política o la jurisdicción. Si ante las cada vez más frecuentes noticias sobre la violencia en las aulas el presidente bávaro anuncia que los alumnos reincidentes deberían ser «devueltos a su patria», uno sólo puede replicarle preguntando «¿a qué patria los quiere devolver?». Muchos de los que pertenecen a la generación joven nacieron y se criaron aquí, algunos incluso tienen pasaporte alemán; muchos de ellos no hablan bien la lengua alemana, pero no hay ninguna otra lengua que hablen mejor; aquí viven sus padres, hermanos, vecinos y amigos; a menudo conocen el país de origen de sus progenitores sólo de alguna breve visita. ¿Adónde mandarlos, pues? El debate público está atenazado por ficciones y antagonismos, superados desde hace tiempo por la velocidad del cambio.

3) Una sociología juvenil y generacional que pretenda dar cuenta siquiera aproximadamente de la realidad vivencial de la generación global requiere un *cosmopolitismo metodológico*.[1] Éste debe responder, y no en último término, a la pregunta clave: ¿qué va a ocupar el lugar de la unidad analítica nacional de «generación»? Para empezar hemos sustituido en esta aportación el concepto nacional de «generación» por la imagen de distintas «constelaciones generacionales de carácter transnacional». Nuestro ensayo sólo ha esbozado los prime-

ros rasgos de la dialéctica recíproca que opera entre ellas, si bien no hemos abordado la pregunta clave de cómo nace una generación global de orden político. Pero por lo menos debería haber quedado claro un aspecto: de ningún modo la crítica del nacionalismo metodológico es solamente un problema de datos empíricos, hasta ahora captados y organizados en su mayoría a nivel nacional. Se trata de algo mucho más profundo, a saber, de cómo el concepto nuclear sociológico de «generación» (y también los conceptos de desigualdad social, Estado, familia, hogar, justicia, vecindad, etc.) puede ser liberado del horizonte intelectual del nacionalismo metodológico para abrirlo hacia el cambio de los fundamentos de la segunda modernidad globalizada. Si no se hace, la realidad vivencial de la generación emergente siempre será una tierra incógnita, por muchos datos que los científicos sociales recojan.

Notas

Introducción

1. Véanse Ulrich Beck y Edgar Grande, *Das kosmopolitische Europa,* Fráncfurt, 2007, cap. 6 (trad. cast.: *La Europa cosmopolita,* Barcelona, Paidós, 2006); Ulrich Beck y Natan Sznaider (comps.), *Cosmopolitan Sociology, British Journal of Sociology,* n.º 1, 2006.

2. June Edmunds y Bryan S. Turner, «Global Generations: social change in the twentieth century», en *The British Journal of Sociology,* vol. 56, n.º 4, págs. 559-577.

1. Expectativas de igualdad y sueños de migración

1. Arjun Appadurai, «Globale ethnische Räume», en Ulrich Beck (comp.), *Perspektiven der Weltgesellschaft*, Fráncfurt, 1998, pág. 22.

2. *Ibidem*, pág. 24.

3. Scott Lash y John Urry, *Globale Kulturindustrie*, Fráncfurt, 2007 (en imprenta).

4. Véase Dan Bilefsky, «Migration's flip side: All roads lead out», en *International Herald Tribune*, 7 de diciembre de 2005.

5. 7 Elisabeth Beck-Gernsheim, «Transnationale Heiratsmuster und transnationale Heiratsstrategien. Ein Erklärungsansatz zur Partnerwahl von Migranten», en *Soziale Welt*, vol. 57, nº 2, 2006, págs. 111-129.

6. Alison Shaw, «Immigrant Families in the UK», en Jacqueline Scott y otros (comps.), *The Blackwell Companion to the Sociology of Families*, Oxford, 2004, pág. 279.

2. Patrias transnacionales

1. Bernhard Schäfers y Albert Scherr, *Jugendsoziologie,* 8ª ed. revisada, Wiesbaden, 2005, pág. 34.

2. Robert E. Park, «Human Migration and Marginal Man», en *The American Journal of Sociology,* vol. XXXIII, nº 6, mayo de 1928, pág. 893.

3. Everett V. Stonequist, *The Marginal Man. A Study in Personality and Culture Conflict,* Nueva York, 1961 (ed. príncipe de 1937), pág. 148.

4. Beatrice Berkenkopf, *Kindheit im Kulturkonflikt. Fallstudien über türkische Gastarbeiterkinder,* Fráncfurt, 1984.

5. Uli Bielefeld, Reinhard Kreissl y Thomas Münster, *Junge Ausländer im Konflikt. Lebensformen und Überlebensformen,* Múnich, 1982.

6. Sefan Harant, «Schulprobleme von Gastarbeiterkindern», en Helga Reimann y Horst Reimann (comps.), *Gastarbeiter. Analyse und*

Perspektiven eines sozialen Problems, 2ª ed. completamente revisada, Opladen, 1987, págs. 243-263.

7. Pia Weische-Alexa, *Soziokulturelle Probleme junger Türkinnen in der Bundesrepublik Deutschland,* Colonia, 1982.

8. K. W. Stratmann (comp.), «Integrationsprobleme ausländischer Jugendlicher: Sozialisationstheoretische und bildungspolitische Überlegungen und ihre pädagogische Umsetzung», apéndice 2 de *Zeitschrift für Berufs- und Wirtschaftspädagogik,* Wiesbaden, 1981.

9. Elisabeth Beck-Gernsheim, *Wir und die Anderen. Kopftuch, Zwangsheirat und andere Mißverständnisse,* Fráncfurt, 2007; Kurt Salentin y Frank Wilkening, «Ausländer, Eingebürgerte und das Problem einer realistischen Zuwanderer-Integrationsbilanz», en *Kölner Zeitschrift für Soziologie und Sozialpsychologie,* vol. 55, n.º 2, 2003, págs. 278-298.

10. *Ibidem*, pág. 295.

11. Schahrzad Farrokhzad, «Zwischen Aufstiegsorientierung und Deklassierung in Bildung und Beruf: Frauen und Mädchen aus dem Iran in Deutschland», en Maria do Mar Castro Varela y Dimitria Clayton (comps.), *Migration, Gender, Arbeitsmarkt,* Königstein/Taunus, 2003, págs. 127-151; Werner Halbhuber, «Die Schulstatistik der Kultusministerkonferenz», en Bundesministerium für Bildung und Forschung (comp.), *Migrationshintergrund von Kindern und Jugendlichen: Wege zur Weiterentwicklung der amtlichen Statistik,* Berlín, 2005, pág. 70; Hans Riebsamen, «Die Russen sind da», en *Frankfurter Allgemeine Sonntagszeitung,* 7 de mayo de 2006.

12. Cornelia Kristen y Nadia Granato, «Bildungsinvestitionen in Migrantenfamilien», en Bundesministerium für Bildung und Forschung (comp.), *Migrationshintergrund von Kin-*

dern und Jugendlichen: Wege zur Weiterentwicklung der amtlichen Statistik, Berlín, 2005, págs. 25-42.

13. Berrin Özlem Otyakmaz, *Auf allen Stühlen. Das Selbstverständnis junger türkischer Migrantinnen in Deutschland,* Colonia, 1995, pág. 131 y sig.

14. Regina Römhild, «Globalisierte Heimaten. Kulturanthropologische Betrachtungen in der Alltagskultur», en Hans-Peter Burmeister (comp.), *Die eine und die andere Kultur,* Rehberg-Loccum, 2003, Loccumer Protokolle, pág. 42.

15. Cem Özdemir, entrevista en el *Spiegel Reporter,* nº 2, 2000, pág. 37.

3. Globalización e inseguridad creciente

1. Por lo menos será así mientras prevalezca el pensamiento nacional y haya una débil cooperación interestatal. Véase Ulrich Beck,

Poder y contrapoder en la era global, Barcelona, Paidós, 2004.

2. Ulrich Beck, *Un nuevo mundo feliz: la precariedad del trabajo en la era de la globalización,* Barcelona, Paidós, 2000.

3. Manuel Castells, *The Rise of the Network Society,* Oxford, 1996, pág. 268 (trad. cast.: *La sociedad red,* Madrid, Alianza, 2006).

4. Angela McRobbie, *From Clubs to Companies: Notes on Creative Impoverishment and De-Politicisation in the New Speeded Up Culture of Work,* Londres, 2005, manuscrito no publicado.

5. Hans-Peter Blossfeld y otros (comps.), *Globalization, Uncertainty and Youth in Society,* Londres y Nueva York, 2006.

6. La única excepción es Irlanda, que experimenta actualmente una fase de despegue económico.

7. Melinda Mills, Hans-Peter Blossfeld y Erik Klijzing, «Becoming an adult in uncer-

tain times. A 14-country comparison of the losers of globalization», en Hans-Peter Blossfeld y otros (comps.), *Globalization, Uncertainty and Youth in Society,* Londres y Nueva York, 2006, pág. 423 y sig.

8. *Ibidem,* pág. 426.

9. *Ibidem.*

4. Conclusiones y perspectivas

1. Beck y Sznaider, 2006.